martine
et les sports

8 récits illustrés par marcel marlier

Martine fait de la bicyclette
Martine monte à cheval
Martine apprend à nager
Martine fait de la voile
Martine petit rat de l'Opéra
Martine en montgolfière
Le chat Follet sur la patinoire
Jean-Lou et Sophie à la course des Tacots

casterman

http://www.casterman.com
ISBN 2-203-10716-2

martine
fait de la bicyclette

GILBERT DELAHAYE - MARCEL MARLIER

La route qui conduit vers les jolis villages et va se perdre dans la campagne, la connaissez-vous ?
Martine aimerait bien se promener à bicyclette sur la route.

Mais elle n'a qu'un vélo à trois roues. Celui que son papa lui a offert quand elle était toute petite. Il n'est plus à sa taille. Quand elle pédale, ses genoux cognent contre le guidon.
Avec ce vélo, Martine ne pourrait même pas aller à l'école.
Et pourtant, l'école n'est pas loin !
Regardez, voici le petit chat de la directrice.

– Veux-tu me prêter ton vélo ? demande Martine à son frère Jean. Je ne l'abîmerai pas.

– Pour quoi faire ? Tu ne sais même pas rouler !

– Eh bien, je vais apprendre ! répond Martine, vexée.

D'abord, monter à bicyclette n'est pas si facile que cela.

Et puis, il faudrait prévenir maman.

Cela ne serait pas chic de rouler à bicyclette sans qu'elle le sache. Mieux vaut lui en parler tout de suite.

Maman veut bien que Martine apprenne à rouler à bicyclette.
Grand-papa, qui a tout entendu, est allé en acheter une en cachette pour faire une surprise à la maison.
Voyez comme elle est jolie, la bicyclette de Martine !
Martine sera sûrement très heureuse.

Pour apprendre à rouler à bicyclette, rien ne vaut le jardin derrière la maison. Il y a une allée bien droite et on ne risque pas de se faire accrocher par les voitures.

– Ne serre pas le guidon si fort, dit grand-père... Et regarde bien devant toi.

– Surtout ne me lâche pas, dit Martine.

Avec grand-père, c'est un plaisir d'apprendre à rouler à bicyclette, n'est-ce pas ?

Maintenant Martine sait rouler à bicyclette toute seule... Vous croyez ?... Elle n'aurait jamais dû s'aventurer dans le village sans prévenir grand-père. Les pavés sont semés de trous et de bosses. Et le chemin descend, descend toujours plus vite...

Comment faire pour s'arrêter ?
Après le virage, la cour de la ferme.
Par chance, la barrière est ouverte.
Sinon, Martine se serait jetée dessus.

– Attention ! crie Martine en perdant les pédales… Attention !

– Coin, coin, coin, font les oies.

– Sauvons-nous, dit la poule Noirette, il va y avoir un accident.

Tout à coup, devant Martine, surgit un grand tas de paille.
Elle lâche le guidon et… patatras !…
– Mais c’est Martine ! s’écrie le garçon de la ferme, tout surpris.
Pourvu qu’elle ne se soit pas cassé une jambe !…
… ni blessures ni dégâts. Simplement quelques égratignures.

– Tu vois, dit grand-père, il ne fallait pas rouler si vite. L'essentiel, à bicyclette, c'est de savoir s'arrêter. Par exemple, je suis sur le chemin. Tu arrives. Vite tu freines et tu sautes en bas de ta bicyclette. C'est ainsi qu'il faut s'arrêter.

Maintenant Martine sait rouler pour de bon.

Mais grand-père lui a dit :

– Surtout, pas d'imprudence !

– C'est promis, dit Martine. Je vais rester sur la place du village.

Sur la place du village, les amies de Martine l'attendent avec impatience, car aujourd'hui, c'est congé toute la journée.
– Tu as de la chance, Martine, d'avoir un nouveau vélo !
– Je peux l'essayer ? Quand tu viendras chez moi, je te prêterai mon cyclorameur.

Cet après-midi, Martine et grand-père sont allés faire une longue promenade à bicyclette.
Dans la campagne, il y a des chemins avec des ornières et des champs à perte de vue. On pourrait rouler pendant des heures entre les grands arbres où le vent siffle.
Patapouf s'amuse beaucoup. Il saute au-dessus des flaques d'eau. C'est amusant d'accompagner Martine quand elle roule à bicyclette avec grand-père !
Mais n'est-ce pas imprudent de folâtrer autour d'elle ?
Une autre fois, Patapouf devra rester à la maison.

– Ici, dit grand-père, nous arrivons à Pont-Saute-Mouton. Il faut s’arrêter au feu rouge.

– Quand pourrons-nous passer ?

– Quand le signal sera vert, pardi ! C’est expliqué dans le code de la route… Connais-tu le code de la route ? Cela n’est pas difficile. Regarde :

Rouge :
tu ne peux pas passer.

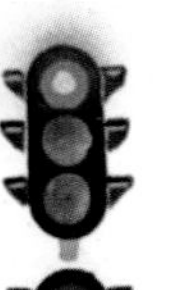

Vert : tu peux passer.

Sens interdit.

Sens obligatoire.

Stop obligatoire.

Priorité à droite.

Je vais tourner à droite.

Je vais tourner à gauche.

– Oh là ! Mon pneu avant est à plat, dit Martine inquiète. Heureusement, grand-père est là. En quelques minutes, il a démonté la roue. Dépêchons-nous ! Il s'agit de réparer la fuite avant la nuit.

Et maintenant, vite, rentrons à la maison.

Tiens, une voiture qui arrive en sens inverse…

C'est peut-être papa qui s'inquiète à cause de la nuit qui commence ? Sans doute vient-il à la rencontre de Martine et de grand-père ?

C'est tellement agréable de rentrer à la maison !

Grand-père s'assied dans son fauteuil. Patapouf retrouve son petit maître. Papa et maman ne se font plus de souci.

– Repose-toi, grand-père, dit Martine, je vais enlever tes chaussures. Tu n'es pas trop fatigué ?

– Couci-couça. Et toi, Martine ?

– Moi, j'ai les jambes raides d'avoir tant pédalé. Mais, tout de même, on a fait une fameuse randonnée !...

Martine et grand-père sont de vrais amis.

Le lendemain, Martine nettoie sa bicyclette.

Les chromés brillent.
Les pédales tournent bien.

– Drelin, drelin, fait la sonnette joyeusement.
– Tiens, on a sonné, se dit la poule en penchant la tête. C'est l'heure du déjeuner, sans doute ?

– Martine, tu veux bien que j'attache mon auto à ta bicyclette ? demande le petit frère.

– Oui, mais nous ne traverserons pas la grand-route, sinon grand-père sera fâché.

Nous n'irons pas trop vite et nous prendrons soin de rouler à droite. Nous serons polis envers tout le monde.

Et surtout nous serons prudents !

Car, en chemin, on n'est jamais seul. Et ce serait dommage de gâcher un si bel après-midi.

martine
monte à cheval

GILBERT DELAHAYE - MARCEL MARLIER

Martine est venue prendre des leçons d'équitation chez l'oncle Philippe, celui qui élève des chevaux.
– Voici les ancêtres de mes pur-sang, dit l'oncle en montrant les tableaux du salon. Ici, Mustang, là, Centaure et Ramsès II. N'est-ce pas qu'ils sont magnifiques ?
Mais Martine, tu as certainement envie d'aller visiter les écuries ? Je vais appeler ton cousin.

Justement, voici le cousin Gilles qui traverse la cour. Il revient du village où il a été acheter une selle.
– Bonjour, Martine, bonjour Patapouf... Tu vois, nous avons un nouveau lévrier. J'espère que vous allez bien vous entendre tous les trois.
Patapouf agite la queue pour saluer son nouvel ami.
– Si tu veux, nous irons voir les chevaux tout de suite, dit le cousin Gilles à Martine.
– Oh oui, je veux bien, répond celle-ci.

À la porte de l'écurie, deux chevaux attendent les visiteurs. Ce sont Vulcain et Cyclope.
L'un est bai et l'autre gris. Vulcain aime beaucoup les caresses. Cyclope se méfie des petits chiens qu'il ne connaît pas. Il hennit et tape du pied.
– Est-ce qu'ils sont punis ? demande Patapouf.
– Mais non, répondent les moineaux, ils ont été à l'entraînement et ils se reposent.

– Qu’y a-t-il dans ce box ? demande Martine.

– C’est la jument Pénélope, celle qui courait toujours après Patapouf. Elle attend un petit poulain, répond le cousin Gilles.

– Est-ce qu’on peut la voir ?

– Oh non, elle est trop fatiguée. Il ne faut surtout pas la déranger. Mais ça ne fait rien, quand elle aura son poulain, tu pourras venir lui dire bonjour avec Patapouf.

– Il faudra de la paille pour le poulain, dit le cousin Gilles.

– Eh bien, allons en chercher tout de suite. Je vais t'aider si tu veux. Voilà une brouette qui fera mon affaire.

La paille est dans la grange. Dans la paille une souris vient de sortir de sa cachette.

Patapouf poursuit la souris jusque dans la cour. Et dans la cour, il y a... encore un cheval !

– Je ne suis pas un cheval. Je suis le poney Califourchon, dit l'animal vexé.

– Moi, je suis Patapouf le chien. Et voici ma maîtresse Martine.

– C'est une amazone ?

– Une amazone ? Pour quoi faire ?

– On voit bien que tu ne connais pas grand-chose, dit le poney Califourchon.

Pan, pan, pan… C’est le garçon d’écurie qui met un nouveau fer au sabot du cheval Météore, l’arrière-petit-fils de Ramsès II et le favori de l’oncle Philippe.
– Ça lui fait mal quand on lui enfonce un clou dans le pied ? demande Patapouf.
– Pas du tout, répond le lévrier, parce que le clou s’enfonce dans la corne.

– Veux-tu essayer de monter à cheval ? demande le cousin Gilles à Martine.

– Oui, j'aimerais bien… Que fais-tu là ?

– Eh bien, je suis occupé à seller Pâquerette. C'est la jument la plus docile de l'oncle Philippe.

« Tiens, un cheval qu'on habille », se dit Patapouf.

La selle, les rênes, les étriers, tout est en ordre. Il ne reste plus qu'à vérifier la sangle.

– Voilà, tu peux monter, Martine... Non, pas comme ça... Il faut mettre le pied dans l'étrier.

– Ça n'est pas facile de monter à cheval.

– Je vais t'aider, dit le cousin Gilles.

Pour apprendre à conduire un cheval, il faut faire de l'exercice. Une, deux, une, deux, Pâquerette tourne autour du manège.
– Elle va s'emballer, dit Martine.
– Mais non, puisque je la tiens par la longe.
– Pas si vite, pas si vite, dit Martine.
Ce n'est pas ainsi qu'on se tient à cheval, mais demain ça ira beaucoup mieux.

Le lendemain, Martine a fait des progrès et le troisième jour, encore davantage. Pâquerette est devenue son cheval préféré. Chaque matin, la jument attend son morceau de sucre à la barrière. Quand elle voit arriver sa nouvelle maîtresse, elle fait un grand salut en secouant la tête.

Après un long entraînement, Martine est devenue une excellente cavalière. Elle se promène à travers la campagne. Elle est tout à fait à l'aise sur sa jument.
On l'entend venir de loin. On se retourne sur son passage :
– Avez-vous vu passer Martine sur son cheval ?
– Oui, elle va aussi vite que le vent.
Quand Pâquerette descend la colline au galop, les merles s'envolent, le lièvre détale, les papillons zigzaguent comme des fous dans le soleil.

Pâquerette s'arrête au bord du ruisseau.
– Ne bois pas trop vite, dit Martine à sa jument, sinon, tu pourrais être malade.
Mais qui voilà ? C'est Patapouf et le lévrier du cousin Gilles qui arrivent tout essoufflés.
– Eh bien, d'où venez-vous ?
–On s'ennuyait à la maison... Alors... on vous a suivis... dit Patapouf, hors d'haleine.

Aujourd'hui, c'est un grand jour pour Martine.
Au village, il y a un concours d'équitation organisé par le club de l'*Éperon d'Or* et elle voudrait bien emporter le premier prix.
Pour cela, il faut que Pâquerette ait fière allure. Martine monte sur une chaise, brosse la jument, peigne sa crinière.
– Surtout, ne bouge pas. Je n'en ai pas pour longtemps.
Tu seras belle, belle…

Le concours est commencé. Les concurrents sont venus de tous les villages environnants. À présent, c'est le tour de Martine. La voilà qui arrive sur sa jument. Il s'agit de sauter la barrière sans la faire tomber. Pourvu que Pâquerette réussisse !...
Hop, voilà qui est fait.

Heureusement que Pâquerette ne s'est pas arrêtée devant les obstacles. Il y en avait encore une dizaine à franchir. Et c'est Martine qui a obtenu presque tous les points. On annonce au micro :

– Premier prix, Mademoiselle Martine.

Le président du jury se lève :

– Voici la coupe offerte par le club de l'*Éperon d'Or*, dit-il. Je vous félicite.

On applaudit. Les journalistes arrivent :
– Comment s'appelle votre cheval ?
– Une photo, s'il vous plaît, pour l'*Hippodrome*.
Martine est bien contente. Elle caresse Pâquerette.
Elle pense à l'oncle Philippe et au cousin Gilles, qui ont été si gentils pour elle. Sans eux, comment aurait-elle fait pour apprendre à monter à cheval ?

martine
apprend à nager

GILBERT DELAHAYE - MARCEL MARLIER

Nager n'est pas plus difficile que rouler à bicyclette. C'est une question d'habitude.

Bien sûr, cela s'apprend. Si vous désirez suivre des leçons et que maman est d'accord, inscrivez-vous au Club des Tritons avec Martine.

Souvent, c'est ainsi que cela se passe :

– Bonjour ! dit le monsieur. Comment t'appelles-tu ?

– Je m'appelle Martine. Je voudrais apprendre à nager.

– Tu as quel âge ?

– J'ai sept ans.

– C'est parfait... Justement, nous allons commencer les exercices. Tu choisis une cabine et tu nous rejoins vite.

Martine se déshabille dans la cabine. Elle prépare sa serviette, range ses affaires, cherche son bonnet.

Ses compagnes l'attendent. Que fait-elle donc ?… Ah ! la voilà !

On fait connaissance. (Ici, au Club des Tritons, il n'y a que des amis, tu verras, Martine.)

– Moi, je suis Suzanne. Elle, c'est Anne-Marie. Et voici mon cousin Frédéric.

– Il est joli, ton bonnet rose, Martine !

– Veux-tu m'aider à serrer la boucle ?

– Allons, allons, dépêchons-nous ! dit le moniteur.

Maintenant, vite sous la douche !
– Que c'est froid !
– Moi, j'aime ça. Toi pas ? demande Frédéric.
Bravo, Frédéric, tu es un vrai Triton ! Ce n'est pas comme le petit chien de Martine, qui a toujours peur de s'enrhumer !
– Eh bien, Patapouf, qu'est-ce que tu as ? Tu es malade ?
– Tu ne vois pas que je suis tout mouillé à cause de toi ?
– C'est amusant, pourtant, d'aller sous la douche !

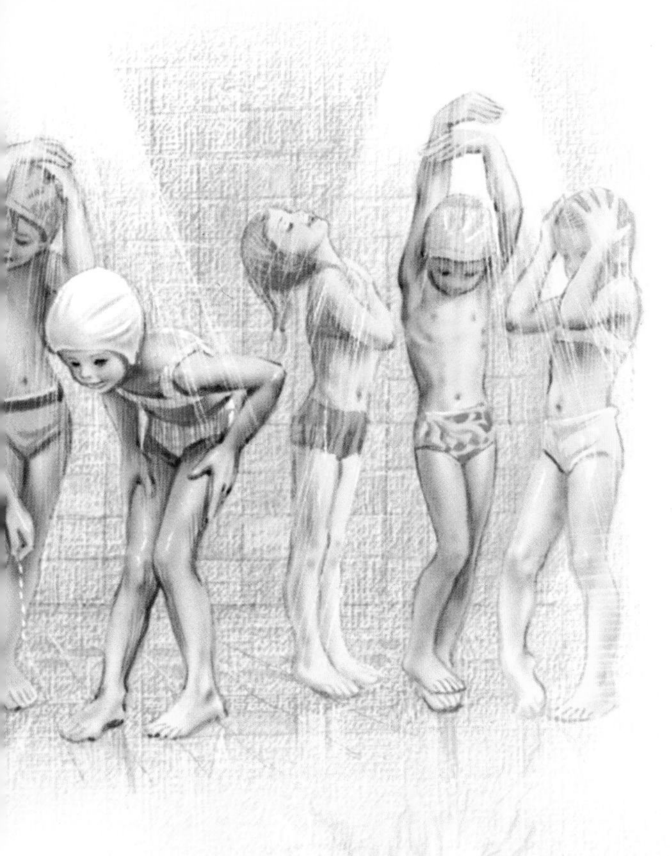

Avant d'apprendre à nager, il faut s'habituer à l'eau.

PREMIÈRE LEÇON :
jouer dans l'eau.

Rien de plus simple ! N'importe qui pourrait en faire autant. Encore faut-il savoir ouvrir les yeux dans l'eau. Qui trouvera le collier de coquillages au fond de la piscine ? Anne-Marie ? Suzanne ? Frédéric ?...
Non, c'est Martine qui a repêché le collier.

– Tu ne sais pas flotter sur l'eau, Martine ? Je vais te l'apprendre, dit Suzanne... Renverse-toi sur le dos, les jambes allongées, les bras le long du corps... Laisse-toi aller. C'est ainsi qu'on fait la planche.

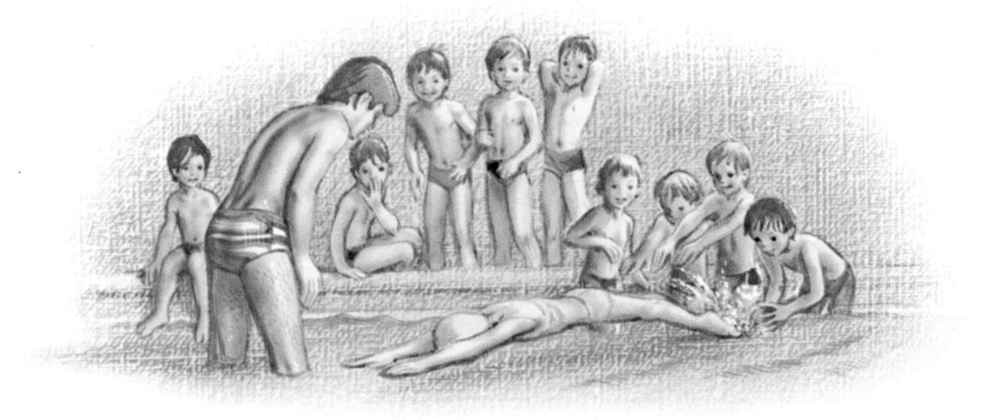

DEUXIÈME LEÇON : faire la flèche.

– Lance-toi dans l'eau bien à plat, comme ceci, droit devant toi et le plus loin possible. Les bras et les jambes tendus, dit le moniteur.

– C'est merveilleux ! pense Martine qui vient de s'élancer. Je ne coule pas. J'avance dans l'eau comme un poisson.

DE LA TROISIÈME À LA SEPTIÈME LEÇON :

apprendre les mouvements ; s'exercer à respirer correctement.

Mouvement des jambes :

– Il faut faire le mouvement des jambes en gardant les bras droits et la tête hors de l'eau, explique le moniteur…

Une : amener les pieds contre le corps à la position de départ…

Deux : allonger les jambes en les écartant…

Trois : rapprocher les jambes l'une contre l'autre. Sans éclabousser, s'il vous plaît !

Oh là ! là ! Martine s'énerve !

– Pas si vite, Martine, pas si vite !

Mouvement des bras :

– Allonge les bras, les mains jointes… écarte les bras en croix… ramène les mains sous le menton… Encore une fois… Très bien. Respire à ton aise, Martine. Mais non, pas n'importe comment ! Tu dois respirer en mesure, c'est important, sinon tu vas t'essouffler.

Martine s'exerce avec application. Elle voudrait bien savoir nager comme le moniteur. Cela viendra sûrement un jour, si elle persévère.

Encore une, deux, trois, quatre leçons et Martine pourra faire la brasse dans la grande piscine. C'est chic, n'est-ce pas ? Rien que d'y penser, cela lui donne du courage.

HUITIÈME LEÇON : nager.

Donc, à la huitième leçon, comme le moniteur l'avait promis, Martine commence à nager toute seule.
Elle n'oublie pas les conseils du moniteur : coordonner les mouvements des bras et des jambes, inspirer en écartant les bras, expirer en ramenant les mains sous le menton.
Quand on désire vraiment apprendre à nager, on finit toujours par y arriver. Faites comme Martine. Ne dites pas :
« Je ne saurai jamais ! » Bien sûr, cela n'est pas encore parfait. Dans la grande piscine, Martine a un peu le trac, mais avec de l'entraînement cela passera.

NEUVIÈME LEÇON : plonger, sauter…

Il y a de nombreuses façons de plonger : assis, accroupi, debout…

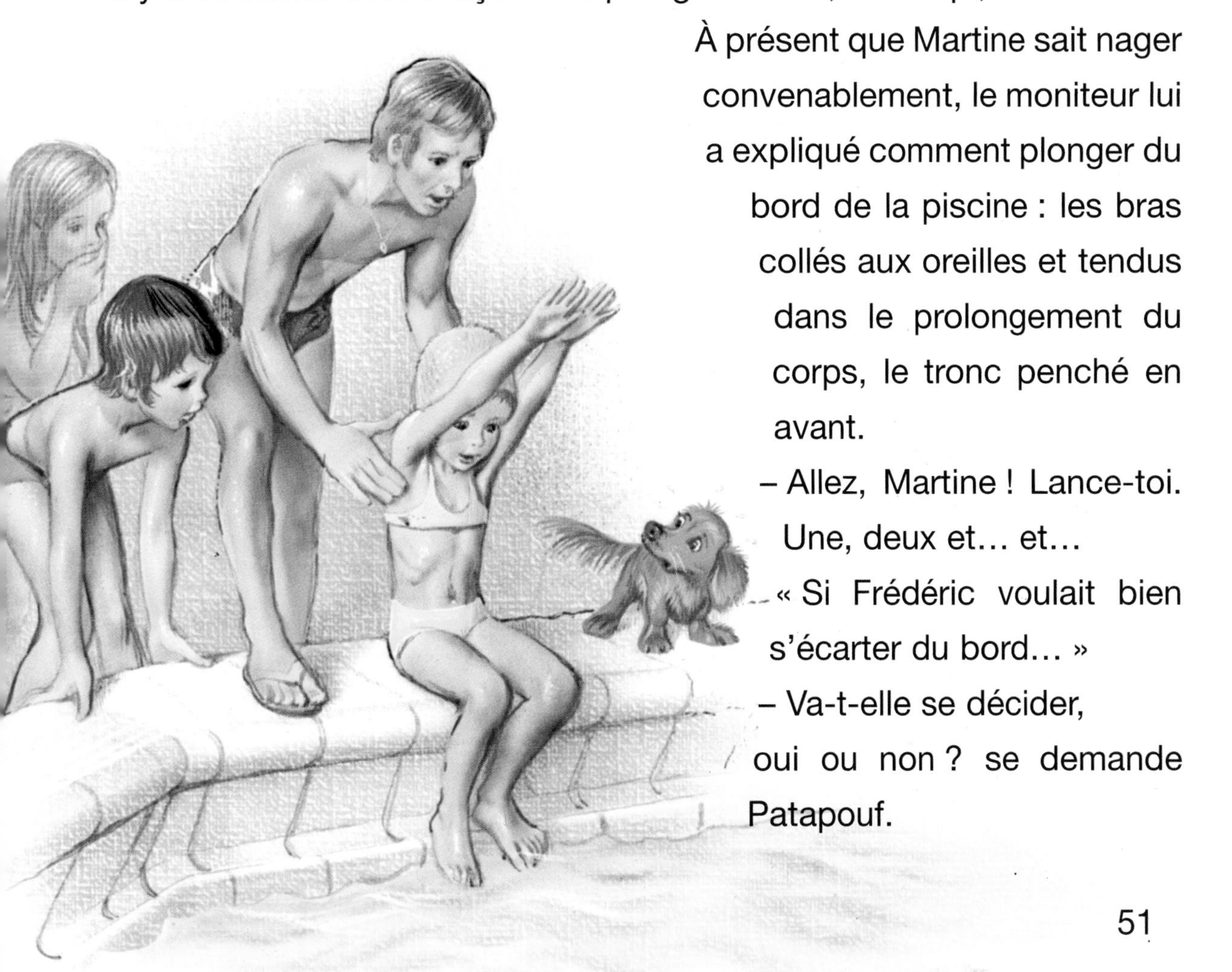

À présent que Martine sait nager convenablement, le moniteur lui a expliqué comment plonger du bord de la piscine : les bras collés aux oreilles et tendus dans le prolongement du corps, le tronc penché en avant.

– Allez, Martine ! Lance-toi. Une, deux et… et…

« Si Frédéric voulait bien s'écarter du bord… »

– Va-t-elle se décider, oui ou non ? se demande Patapouf.

Pourquoi pas ?

– Une, deux, trois, répète le moniteur, et Martine plonge.

Gare aux éclaboussures !… (Vous riez. Et pourtant, tout le monde oserait-il en faire autant ?)

Plonger pour la première fois, ce n'est pas drôle. Il ne s'agit pas de tomber à plat ventre mais de pénétrer dans l'eau sans bruit, en souplesse.

Quand on a réussi, quel plaisir de recommencer !

Patapouf imiterait volontiers sa maîtresse. Pensez donc, ce n'est pas l'envie qui lui manque ! Mais les petits chiens ne sont pas autorisés à plonger dans la piscine.

Qui sait nager se sent léger comme un bouchon dans l'eau. Tu peux jouer à saute-mouton avec les amis. Tu plonges ici… (Tiens, où est passée Martine ?)… et tu ressors là-bas. Tu fais du « sur place » (on dirait que tu pédales dans l'eau). Tout à coup, hop ! tu fais le poirier… comme un canard.

On ne s'ennuie pas au Club des Tritons !

Le plus amusant, c'est de se laisser basculer dans l'eau comme ceci, regarde…

Voilà un excellent exercice. Quand Martine tombe à l'eau, elle sait toujours se tirer d'affaire.

Aujourd’hui, c’est jour de fête au club de natation. On a organisé un match de water-polo entre les Tritons et les Dauphins. Les parents et les amis de Martine sont venus l’encourager.

La partie semble très disputée.

– Moi, je parie pour les Tritons !

– Oui, mais les Dauphins sont les plus forts.

Qui l’emportera : les Dauphins ?

Eh bien, croyez-moi si vous voulez, ce fut un match nul !

Les Tritons et les Dauphins sont tous des as.

Juste avant les vacances, Martine a reçu son brevet de Triton. Une chance, non ?
Depuis, vous devinez bien qu'elle ne manque jamais l'occasion de s'entraîner.
D'ailleurs, son frère Jean, papa, maman, tout le monde nage dans la famille de Martine. Oui, tout le monde, même Patapouf !
Et c'est justement ce qui est épatant. Par exemple, à la mer, cet été, on s'amusera comme des fous avec lui. Pardi ! il nage presque aussi bien qu'une anguille !

Une chose que Patapouf ne fera sûrement jamais, c'est plonger du haut de la girafe.

Mieux vaut réserver cet exercice aux grandes personnes qui ne connaissent pas le vertige.

Martine, elle, ne plonge que du premier étage. Ce qui n'est déjà pas si mal : il faut avoir une certaine expérience.

Vous savez, un vrai Triton est toujours prudent. Il connaît le « code du bon nageur » :

- Ne pas aller à l'eau après avoir mangé ni lorsqu'on est en sueur.
- À la mer, ne pas s'éloigner de la côte… surtout à la marée descendante !
- Ne jamais se baigner en dehors des endroits autorisés.
- Toujours suivre les conseils ou les indications du moniteur.

À propos, connaissez-vous le maître-nageur qui surveille la plage ?
Il est devenu le meilleur ami de Martine et de Patapouf.

On croit que les accidents n'arrivent qu'aux autres, aux imprudents.
Mais quelquefois on s'aventure un peu loin…
Passe un hors-bord : « Bonjour, les amis, bonjour ! » Une, deux, trois vagues, et plouf ! voilà Martine et Patapouf à l'eau...
Heureusement qu'ils s'en sont bien tirés !

Vous savez nager, sans doute ?

Non ? Alors, faites comme Martine : apprenez !

C'est facile !

Mais non, pas sur une chaise. Dans l'eau, comme tout le monde ! Surtout n'hésitez pas ! Nager, il n'y a rien de tel pour rester en forme. Vive l'eau, n'est-ce pas, Martine ?

– Bien sûr ! Et « toujours joyeux », c'est la devise des Tritons.

GILBERT DELAHAYE - MARCEL MARLIER

Martine écrit à son amie Françoise :

« Je suis à l'École des Goélands. Nous apprenons à naviguer à la voile. Voici l'horaire de la journée : le matin, gymnastique, cours théorique et pratique. L'après-midi, sortie en bateau ou bien exercices. On se couche tôt car il faut se lever de bonne heure. On ne s'ennuie jamais à l'École des Goélands !

« J'ai emmené mon chien Patapouf. Au début, ils refusaient de le garder. Mais le moniteur a été gentil. Il n'a pas voulu qu'on le mette à la porte. Il a dit que c'était bon pour une fois. La nuit, Patapouf dort dans le garage. On lui a donné une couverture.

« Hier, vent et soleil. Une journée parfaite pour la voile. Tous les bateaux sont sortis. Il fallait voir ça !

« Nous sommes nombreux à l'école de voile : des garçons et aussi beaucoup de filles. Je fais partie de l'équipe des 'Marsouins'. Nous habitons de petits chalets en bois. C'est merveilleux !

« Je termine ma lettre. C'est l'heure d'aller au cours. »

Dans la classe des « Marsouins », le moniteur, il s'appelle Tony. Il explique l'ABC de la voile et de la navigation, c'est-à-dire tout ce qu'on doit savoir pour débuter.

– Commençons par le moteur !

Les garçons rient. Tony écrit sur le tableau :

– Le moteur, c'est la voile.

– Qu'est-ce qui fait marcher la voile ? demande l'élève Patapouf.

– C'est le vent, pardi ! répond Martine. Le vent vient des quatre points cardinaux : le nord, le sud, l'est et l'ouest.

– Très bien, Martine, dit Tony. Mais se servir du vent et d'une voile, ce n'est pas si simple. On ne conduit pas un voilier comme une bicyclette, du jour au lendemain. Avant de naviguer, il est indispensable de connaître son bateau à fond.

– Qui peut me dire ce qu'est un voilier ?
– C'est une coque avec un mât et une voile.
– D'accord, Martine… mais c'est bien autre chose !
– Euh, il y a aussi des planches, des poulies, des cordes…
– On doit appeler tout cela par son nom. Ça c'est une *dérive*.
Elle assure la stabilité du bateau. On dirige le voilier avec la *barre*.
Elle commande le gouvernail appelé *safran*.
Patapouf commence à trouver le temps long :
– Si on faisait une promenade sur l'eau ?…

Pour tenir droit sur un bateau, il s'agit d'avoir le pied marin.
C'est une question d'habitude.
Tony propose un excellent exercice : qui fera basculer son adversaire ?
L'équipe des « Marsouins » a été désignée pour se mesurer avec celle des « Albatros ».
Martine a fort à faire. Elle manque d'entraînement.
Un faux mouvement, et ce serait la culbute.
– Tiens bon, Martine, tiens bon !…
La voilà qui tombe à la renverse. Quel plongeon !… Bravo quand même ! Elle a du cran.
Attention, il ne faut jamais s'embarquer sans avoir mis son gilet de sauvetage !

Un bon marin se renseigne sur le temps qu'il fera le lendemain, sur la direction et la force du vent. Il interroge la météo.
Le ciel, la mer, les bateaux sont des amis capricieux. Attention aux surprises quand se lève la tempête ! Prudence ! Quelquefois aussi on rate une manœuvre. C'est un incident qui arrive plus souvent que vous ne l'imaginez !
Une vague, un coup de vent, le voilier se retourne...

– Au secours ! À l'aide ! crie Patapouf.
À l'École des Goélands, on apprend la manière de redresser un voilier qui chavire :
– Mets-toi debout sur la dérive, Martine, crie Tony. Grimpe à cheval sur la coque. C'est comme ça qu'on rétablit l'équilibre.

– Connaissez-vous le jeu des pirates ?
– Est-ce qu'il y aura des grands sabres… et des requins ? demande Martine, un peu inquiète.
– Mais non, voyons, explique Tony. Chaque pirate manœuvre sa barque. Un trésor est caché sur l'île. Là, un gardien empêche les assaillants de débarquer. Le premier qui découvre le trésor, je l'emmènerai dimanche sur mon *dériveur*… Tout le monde est d'accord ? En avant !
Mais il ne suffit pas de ramer pour se déplacer sur l'eau. Encore faut-il se diriger avec les bras, avec les jambes, sinon…
Une barque chavire. Une autre se met *en travers*. Patrick accroche Martine. Quelle pagaille !

C’est Martine qui a découvert le trésor. Elle a droit à la promenade en dériveur. Mais aujourd’hui c’est la sortie des « optimists ».
– C’est quoi, un « optimist » ?
– Un voilier à une place avec juste une voile et un gouvernail. Il convient très bien pour apprendre à naviguer.
Chacun s’affaire autour de son bateau. On dresse les mâts, on fixe les *bômes*. Patapouf court dans tous les sens :
– Chic alors ! On embarque. Dépêchons-nous !…

C'est parti ! Les « Marsouins » naviguent : Martine, Luc, Patrick, Stéphanie, Dominique, Sébastien… et là-bas tous les autres. Ils se suivent à la file indienne, comme les canards.
Ça n'est pas facile d'évoluer ensemble ! Luc se rapproche trop de Patrick. Martine a le vent *de travers*.
Tony annonce la manœuvre :
– Nous allons *virer de bord*… Vous êtes prêts ?…
Martine tient la barre et surveille la voile. Elle attend les ordres.
Patapouf a le souffle coupé.
Pour une aventure, c'est une aventure !

Le soir, tous les « optimists » sont rentrés à l'école de voile. Encore une belle journée qui s'achève. Le soleil, au couchant, se reflète sur l'eau. Le vent s'apaise. Plus un souffle. Çà et là, un voilier se balance à peine sur les vagues. Une mouette passe. La nuit va venir.

Au réfectoire, les « Marsouins » sont de bonne humeur.
On bavarde. On commente les événements de la journée :
– Il est chic, le moniteur !
– Je le connais bien, c'est le même que l'année passée.
– Il n'est pas trop sévère. Il explique à fond. Avec lui, tout paraît simple. C'est épatant !
– Tu peux lui demander n'importe quoi.
C'est quelqu'un, Tony ! Il a déjà beaucoup navigué.
– Tu as vu son canot pneumatique ? Avec ça, il peut aller partout. Et si tu as un pépin, il arrive.
– Tu crois que j'irai dans son dériveur ? demande Martine.
– Bien sûr ! Il tient parole, Tony.

Le lendemain, tous les copains se retrouvent au débarcadère :

– Est-ce que tu sais nager ?

– Bien sûr ! Pourquoi !

– Parce que, si tu tombes à l'eau, il n'y a pas toujours quelqu'un pour te rattraper.

– Tu as raison, Sébastien. Tout le monde devrait savoir nager !

– Tu sais ce que nous allons apprendre aujourd'hui, Martine ?

– Nous allons faire des nœuds.

– Ah oui ?…

– Mais c'est important, les nœuds ! Il y en a qui sont drôlement compliqués. Celui-ci par exemple ! Tu vois…

C’est le grand jour. Tony va emmener Martine sur son dériveur : un vrai, avec un *foc* et une *grand-voile*. Elle en a de la chance, Martine, de pouvoir se promener autour du lac sur ce beau voilier !
Elle vérifie soigneusement la *drisse*, les *haubans*, les *écoutes.*
– Pourvu qu’elle ne casse rien !…

Le voilier file à toute allure. Il emporte Martine, le moniteur et Patapouf. L'eau jaillit sous l'*étrave*. Le vent gonfle et siffle dans les haubans.

Il souffle d'où il veut, quand il veut, le vent.

Les marins essayent de l'apprivoiser.

Mais cela demande beaucoup d'adresse.

– La barre à gauche, Martine…

– Oh là là ! nous allons chavirer !

– Penses-tu ! Tout ira bien. Je m'occupe de la voile.

Patapouf a toujours des questions à poser : « Comment s'y prend-on pour aller contre le vent ?… Et pour faire demi-tour ?… Qui a la priorité ?… Est-ce qu'il y a un frein pour s'arrêter ?… »
Oui, c'est compliqué de manœuvrer la voile. Pour y arriver, il ne suffit pas de quelques leçons.
L'été prochain, Martine reviendra sûrement s'entraîner avec les copains à l'École des Goélands.

Finies les vacances ! Il faudra bientôt se quitter.
Le ciel rougit. Demain, nous aurons de la tempête. On démonte les mâts et les voiles en vitesse.
On échange des projets : ça donne du courage.
– Plus tard, quand je serai marin, j'irai jusqu'au bout du monde. Je rapporterai des tas de souvenirs : des coquillages, des colliers de perles, des plumes de perroquets, des poissons exotiques.
– Moi, j'aurai un bateau de course : un bleu et rouge avec des voiles partout. J'en mettrai une devant, grosse comme un ballon…
Mon voilier s'appellera « L'Étoile filante ».

– Qui va rentrer les bateaux ? demande Tony.
– Moi, je veux bien !
– Moi aussi, dit Luc en remontant ses manches.
– Vous venez, les filles ? On a besoin de vous.
– Allons-y…
On ne traîne pas les voiliers ; ça les abîme. Il faut les porter avec précaution. C'est un travail d'équipe, on ne peut pas tout laisser sur le dos des mêmes.
Chez les « Marsouins », on s'entend bien. De temps en temps, on rigole un bon coup. Mais apprendre à naviguer, c'est une chose sérieuse !
Il reste beaucoup à faire : plier les voiles, nettoyer les bateaux, laver, brosser, ranger le matériel.

– Ce n'est pas le moment de s'amuser, les gars !… si vous lambinez, on n'aura jamais fini !…

Martine, Patrick, Stéphanie, Dominique… toute l'équipe est à l'ouvrage. On se dépêche avec le sourire. À l'École des Goélands, celui qui se croise les bras n'est pas un vrai copain. Heureusement les « Marsouins » sont un peu là !

C'est parfait. L'an prochain, les camarades vont trouver le matériel en bon état. Le moniteur est content… Bravo, les « Marsouins ».

martine
petit rat de l'opéra

GILBERT DELAHAYE - MARCEL MARLIER

Un jour, Martine dit à maman :
– J'aimerais tant savoir danser comme Françoise, ma petite amie !
Je crois que j'y arriverais.

– Tu sais, on ne devient pas danseuse du jour au lendemain.
– Cela ne fait rien, j'apprendrai.
– Il faudra que tu ailles à l'école de danse.
– Si papa est d'accord, j'irai m'inscrire, avait répondu Martine.

Maman s'est laissé convaincre. Papa a dit oui. Enfin, après avoir passé un examen médical, Martine, accompagnée de son amie Françoise, est entrée à l'école de danse.
Les premières leçons ne furent pas faciles du tout pour Martine. Mais à présent elle est la première de la classe.
Elle s'exerce à bien se tenir sur une jambe en posant la main sur la barre. Voyez comme elle est gracieuse ! Si papa était là, sûr qu'il serait fier de sa petite fille !

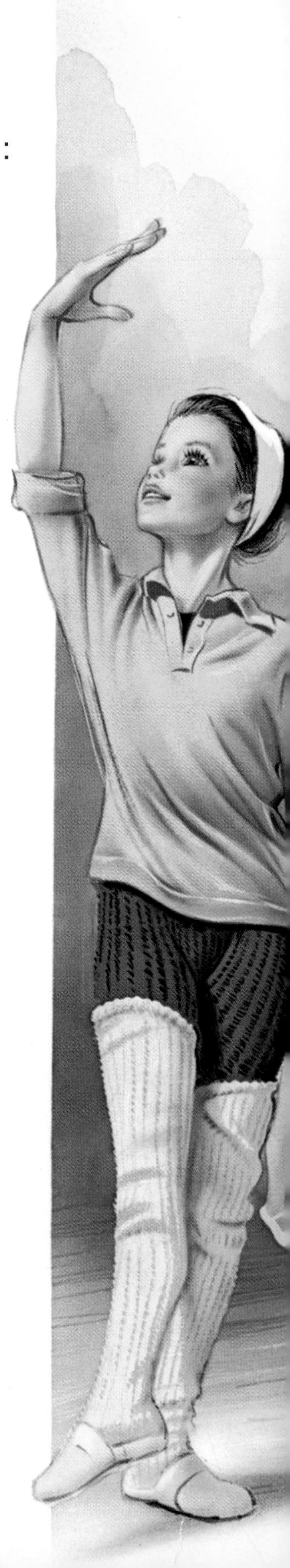

Pourtant, mademoiselle Irène, le professeur de Martine, a dû faire preuve de patience avec sa nouvelle élève.
– Tourne la jambe en dehors, Martine. Arrondis le bras. Comme ceci, regarde… Voilà, c'est presque parfait.

Comme dit maman, « avant de savoir danser, il faut s'entraîner à devenir souple jusqu'au bout du petit doigt ».
Vingt fois, mademoiselle Irène a dû expliquer à Martine qu'on doit ouvrir le pied vers l'extérieur et lever les bras sans se raidir, avec une aisance naturelle.
– Vois-tu, Martine, un « petit rat » doit exécuter correctement les cinq positions que voici. Ce n'est pas tout. Que dirais-tu d'une danseuse qui ne pourrait pas plier les jambes avec souplesse ni se relever sur les pointes ?

Cela paraît simple ?

Ci-dessous : 1. Demi-plié. – 2. Plié. – 3. Relevé sur demi-pointes.

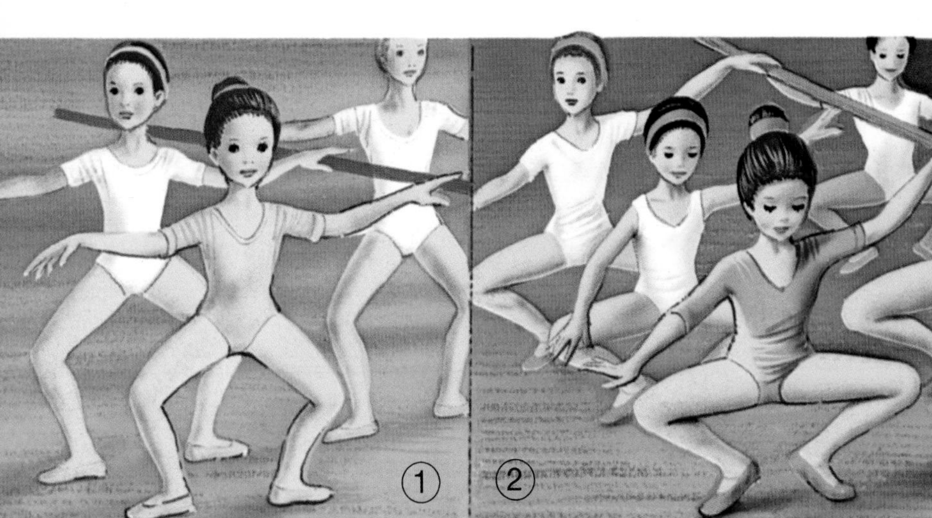

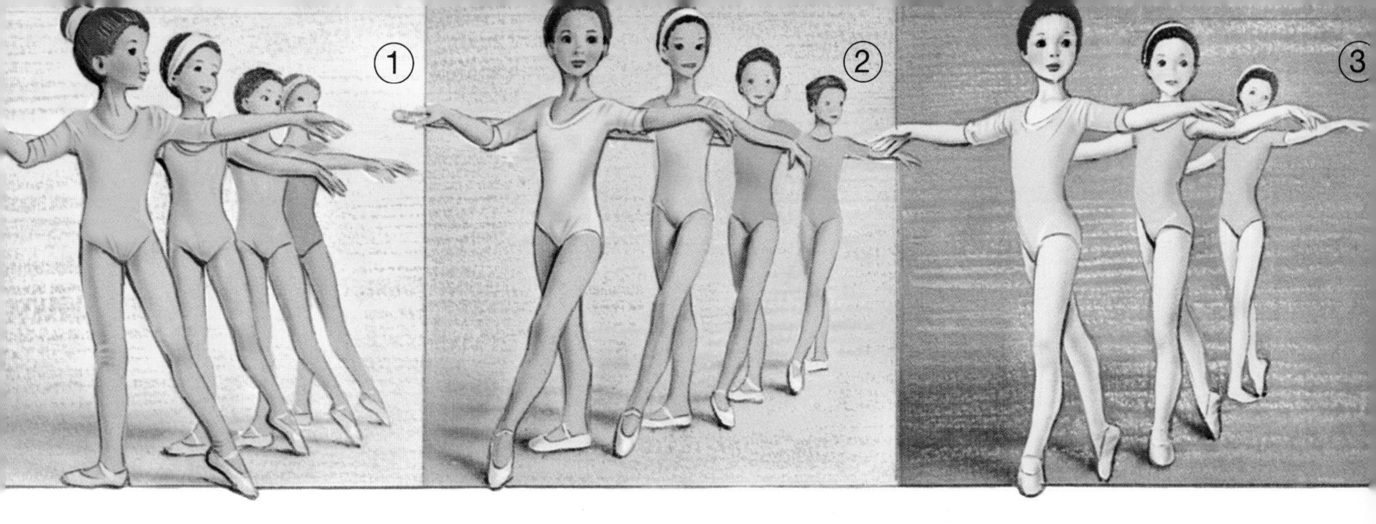

Et cependant, avant d'être une excellente élève, Martine a dû répéter et répéter encore le dégagé, le grand battement, le rond de jambe.

Ci-dessus :
1. Dégagé en 2e. –
2. Dégagé en 4e devant. –
3. Dégagé derrière croisé.

Ci-contre :
Grand battement.
Ci-dessous :
Rond de jambe.

Ah non, pas n'importe comment ! Le mieux possible et sans perdre l'équilibre. C'est ainsi, à force de persévérance, que Martine deviendra danseuse.

– Mesdemoiselles, recommençons. Regardez-vous dans le miroir au fond de la salle et suivez donc la mesure !
Une… deux… trois… quatre… Ensemble, s'il vous plaît.
Nous passerons à l'exercice suivant quand celui-ci sera parfait…

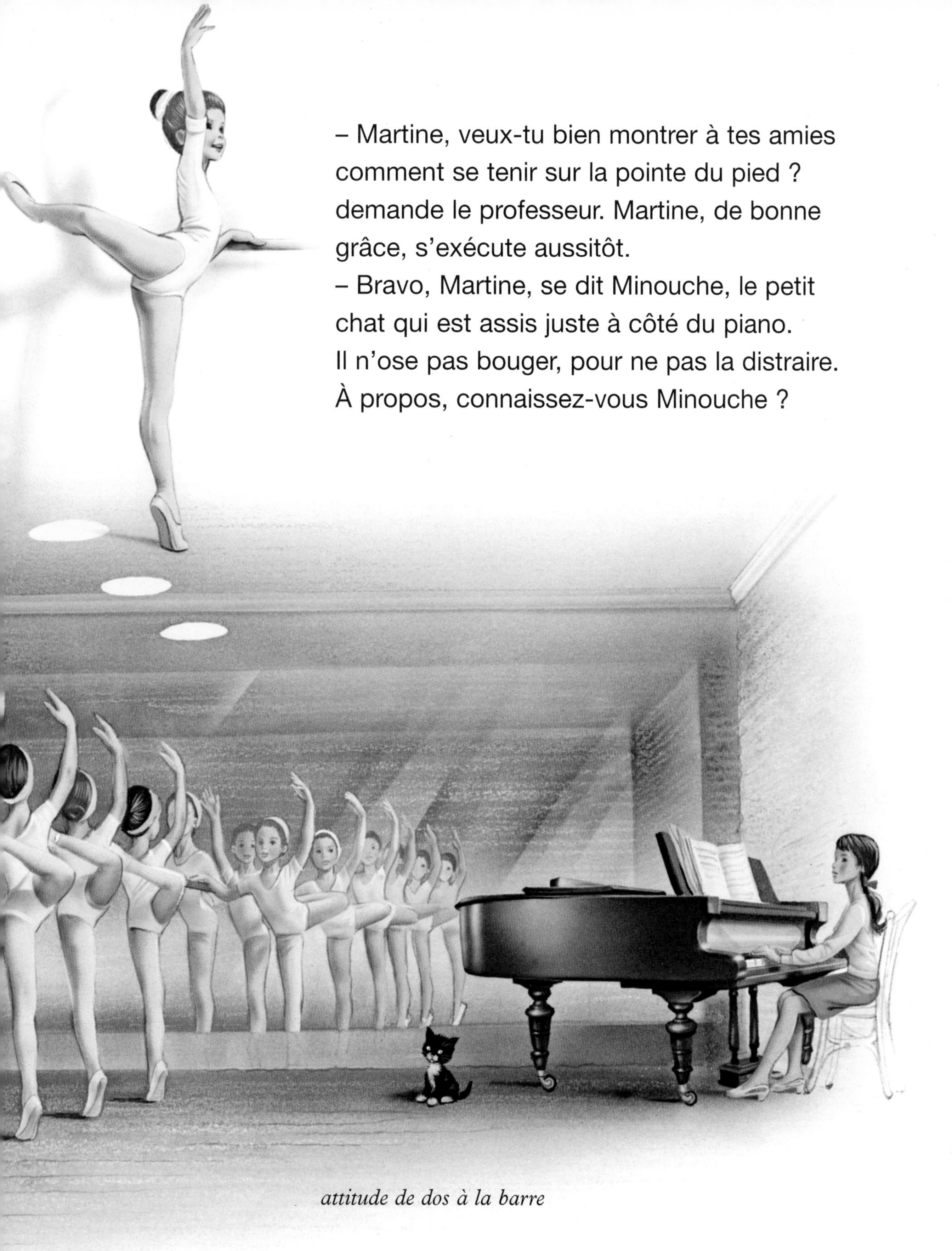

– Martine, veux-tu bien montrer à tes amies comment se tenir sur la pointe du pied ? demande le professeur. Martine, de bonne grâce, s'exécute aussitôt.
– Bravo, Martine, se dit Minouche, le petit chat qui est assis juste à côté du piano. Il n'ose pas bouger, pour ne pas la distraire. À propos, connaissez-vous Minouche ?

attitude de dos à la barre

Minouche vient tous les jours à l'école avec mademoiselle Irène, sa maîtresse. Il connaît les arabesques, les entrechats et les pirouettes jusqu'à la pointe des moustaches.
Lui aussi saurait prendre des attitudes. Même, peut-être ferait-il n'importe quel exercice.
Il est ce qu'on appelle un « savant Minouche ».

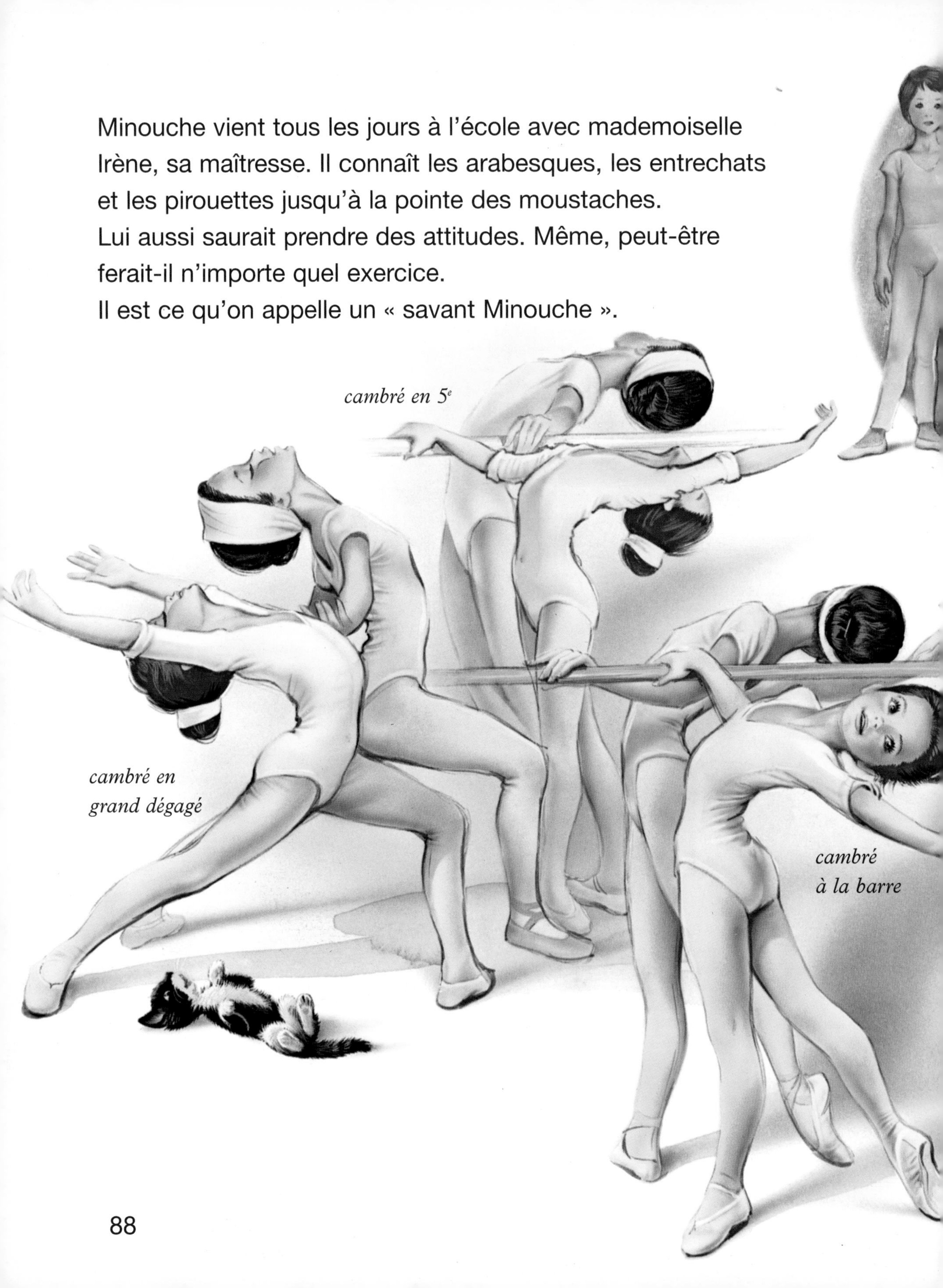

Jour après jour, semaine après semaine, Martine est devenue l'amie de Minouche. (N'importe qui ne devient pas l'ami de Minouche-le-chat-de-la-maîtresse !) Jamais le petit chat n'a vu une élève aussi douée que Martine. Et, croyez-le, il en a connu des « petits rats » dans cette classe !

exercices d'assouplissement

pied à la main

grand battement en attitude

Si vous ne savez pas ce qu'est un « petit rat » demandez-le donc à Minouche.
– Mais non, vous répondra-t-il, un petit rat, ça n'a rien à voir avec les souris. Un petit rat, c'est le nom que l'on donne aux fillettes qui ont l'âge de Martine et qui suivent les cours de la classe de danse à l'Opéra.
Maintenant que vous savez ce qu'est un petit rat. Alors, allez donc voir s'exercer Martine. Son professeur vous expliquera comment on devient danseuse pour de bon.

port de bras en grand écart

Pour devenir une parfaite danseuse, il ne faut pas seulement exécuter des figures difficiles. Martine doit aussi apprendre à balancer le bras comme pour cueillir une fleur, ou bien à lever les mains au-dessus de la tête avec grâce. Ainsi ferait une reine qui porte sa couronne.
Sur scène, le moindre mouvement a son importance.
Une danseuse est souple comme le chat, légère comme la plume, agile comme l'écureuil, gracieuse comme le cygne.

dégagé en 4e
pointe derrière
bras en couronne

mouvement d'adage

Quand Martine danse, elle peut représenter toutes sortes d'images. Par exemple : le feu follet dans l'herbe ou la lumière éblouissante, ou encore, tout simplement, le papillon qui s'envole.
Cela ne s'apprend pas en une seule leçon et vaut bien la peine de faire un effort, ne pensez-vous pas ?

adage avec arabesque penchée au milieu

tour piqué

Mais oui, Martine ! Le professeur sait bien que tu as mal aux jambes quand tu rentres le soir chez toi. Ton pied ne veut plus obéir ? Demain, pourtant, il faudra continuer à t'exercer encore si, vraiment, tu veux devenir une première étoile.

– Qu'est-ce qu'une première étoile ? demande Patapouf, qui vient justement d'apporter les chaussons de pointe de Martine.

– Une première étoile, c'est la danseuse qui danse le mieux parmi toutes celles du ballet.

On vient de très loin pour la voir virevolter sur la scène.
C'est elle que l'on applaudit. C'est elle encore que l'on réclame avec admiration lorsque le ballet s'achève et que les lumières s'éteignent bientôt dans la grande salle du théâtre où résonnent les derniers accords de l'orchestre.
Oui, Martine voudrait bien devenir un jour cette danseuse-là dont le nom figure sur les affiches et que tout le monde félicite pour son savoir-faire.

piqué arabesque

entrechat quatre

glissade « saut de chat »

pas de bourrée

grand jeté en tournant

glissade grand jeté

ports de bras

Devenir un jour une première étoile, cela n'est pas donné à chaque élève de la classe de danse. C'est déjà très bien lorsqu'on arrive, comme Martine, à faire sans faute tous les exercices. Pourtant, oui, le soir dans sa chambre, la tête lui tourne un peu à force d'avoir dansé tout l'après-midi avec ses compagnes. Déjà Martine se voit dans la classe supérieure, celle des grandes élèves qu'on regarde tourbillonner en attendant que vienne le tour des plus jeunes. Il lui arrive aussi quelquefois de se croire devenue la première danseuse de l'opéra.

Alors, Martine s'endort et se met à rêver. Elle devient légère, légère. Elle est comme une plume soulevée par le vent. Sans peine, elle exécute des glissades, des entrechats. Elle s'envole en tournant. Elle s'élance dans un pas de bourrée. Elle fait des bonds appelés sauts de chat et grands jetés.
Et puis, tout à coup, tout s'arrête. Quelqu'un applaudit. Tiens, voilà Minouche qui ronronne d'admiration ; Martine se détend comme si tout son corps se défaisait. Elle se dit : « Je vais sûrement me réveiller. »

Voulez-vous savoir quel fut le plus joli rêve de Martine petit rat ? Le voici :

Un soir, elle était sur la grande scène du théâtre.
Elle achevait de danser le ballet de Cendrillon. Jamais elle n'avait dansé aussi bien que ce soir-là. Son cœur battait, battait.
Elle était si émue qu'elle n'entendit même pas les douze coups de minuit qui justement sonnaient à ce moment-là.
Minouche, dans les coulisses, s'écria :
– Bravo, bravo, tu es une vraie Cendrillon ! C'est…
Mais Minouche n'eut pas le temps d'achever sa phrase.

Toute la scène fut illuminée d'un coup. Alors, le prince arriva
et Martine fut transformée en princesse.
Le prince la souleva dans la lumière, à bout de bras, et tous
les amis de Martine qui étaient venus la voir danser ce soir-là
se mirent à l'applaudir longtemps, longtemps, comme
s'ils n'allaient jamais s'arrêter.
Tel fut le plus beau rêve de Martine petit rat.
Pourtant, qui sait si elle ne sera pas un jour première
danseuse pour de bon ?

martine
en montgolfière

GILBERT DELAHAYE - MARCEL MARLIER

L'oncle Gilbert est pilote de montgolfière. Il a promis à Martine et à Jean qu'ils pourraient l'accompagner dimanche au rallye-ballon. Le jour de la fête, les concurrents se préparent.
C'est la fin de l'après-midi. Il fait beau. À cette heure, le vent se calme.

– Est-ce qu'ils vont partir tous ensemble ?
– Oui, sûrement, si tout se passe bien.
– Qu'est-ce qui fait s'envoler les ballons ?
– On les remplit de gaz. Ils s'élèvent parce que le gaz est plus léger que l'air.
– Où est ton ballon ? demande Martine.
– Il n'est pas tout à fait pareil… Venez donc par ici. Nous allons nous en occuper.
On décharge le ballon de l'oncle Gilbert à l'endroit prévu sur le champ de foire.
Les enfants sont intrigués.
– C'est ça, ton ballon ?… Il est tout petit, tout plat !

– Comment pourrons-nous monter dedans ?
– Pas si petit que ça. Tu verras… Maintenant, les enfants, au travail ! Nous allons le gonfler.
– On va bien s'amuser ! dit Patapouf.
Les badauds s'approchent pendant que l'on dispose le matériel sur la place : l'enveloppe que l'on déroule comme un grand parachute, la nacelle pour les passagers, les bonbonnes de gaz, le brûleur et l'extincteur.
– Un brûleur, oncle Gilbert ? Pourquoi donc ?…

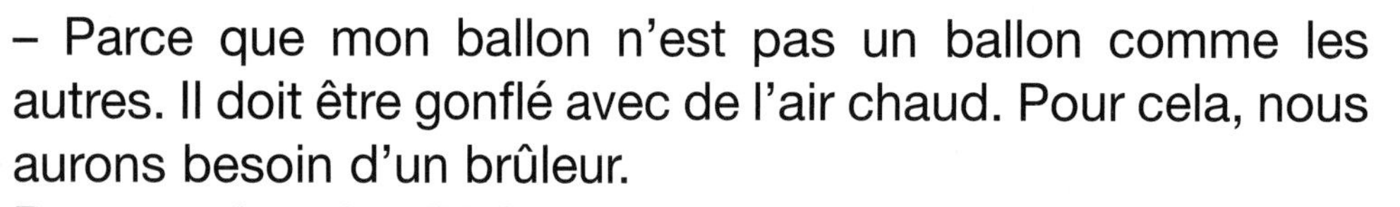

– Parce que mon ballon n'est pas un ballon comme les autres. Il doit être gonflé avec de l'air chaud. Pour cela, nous aurons besoin d'un brûleur.
Pas tout de suite. D'abord nous allons envoyer de l'air dans l'enveloppe avec le ventilateur.
Il faut soulever la toile… comme ça, les enfants… pour que l'air pénètre bien dans l'ouverture et remplisse le ballon jusqu'au fond.
– Ça marche ! Ça marche ! dit Patapouf.
– Eh bien ! Patapouf, sors de là tout de suite ! Nous allons mettre le brûleur en action. Ce n'est pas le moment de faire des bêtises.

Prêts ?... Oncle Gilbert allume le brûleur.
Mes amis, vous parlez d'un vacarme !
En deux secondes Patapouf est sorti de l'enveloppe comme s'il avait un dragon à ses trousses.
Dans la bonbonne, il y a du gaz. Le brûleur à gaz chauffe l'air.
L'air chaud se dilate et ne demande qu'à s'envoler avec le ballon.
Cet aérostat s'appelle une montgolfière.

La montgolfière est gonflée à point. Elle tire sur ses cordages. Elle va s'envoler.
Il est temps de monter à bord. C'est une manœuvre délicate.
– Accrochez-vous à la nacelle… Tenez bon !
Il faut s'installer au mieux. Ne pas se laisser surprendre par un coup de vent.
– Dépêchons-nous, les enfants !… Vous êtes prêts ?

Voilà, c'est parti !…
La montgolfière s'élève avec les passagers. La foule applaudit.
Papa et maman arrivent juste à temps pour assister au départ.
Jean regarde les spectateurs disparaître sous la nacelle.
Martine retient son souffle.
– Tu n'as pas peur du vertige, Patapouf ?
– Le vertige ? Qu'est-ce que c'est ?
– C'est comme qui dirait le mal de l'air.

On prend de la hauteur. Le brûleur crache le feu. La flamme fait un bruit assourdissant.
– Est-ce que c'est dangereux ?
– Qu'est-ce que tu dis ?
– C'est dangereux ?
– Ne crains rien, Martine, j'ai mon brevet de pilote.
En bas, les spectateurs sont comme des fourmis. On aperçoit le champ de foire, les toits de la ville, des clochers.
Tiens, un hélicoptère ! Ce sont les commissaires.
Ils surveillent la course.

Nous sommes presque à la bonne hauteur. Oncle Gilbert coupe le gaz. Le brûleur s'éteint… et puis, un grand calme. À peine si l'on entend le bruit d'un tracteur. Le paysage paraît endormi. Le chariot sur le chemin, les vaches dans le pré, la péniche sur le fleuve, rien ne bouge. Mais ce n'est qu'une illusion…

– On n'avance pas vite. Accélère ! dit Patapouf.

– Une montgolfière n'est pas une automobile ! Pas d'accélérateur, pas de frein, pas de volant.
– Alors, comment vas-tu rattraper les autres concurrents là-bas, oncle Gilbert ?

– Pour manœuvrer, mes enfants, nous allons utiliser le vent.
Mais le vent ne souffle pas toujours avec la même force ni à la même vitesse. Là il y en a peu et ici davantage. Cela dépend de l'atmosphère. Il faut savoir découvrir les courants. Le vent, tu dois le chercher dans le ciel. Pour le trouver, il suffit quelquefois de monter un peu... ou de descendre. C'est une question d'expérience.

– Regardez ce concurrent. Il fait du surplace... Dépassons-le !
– J'en vois deux sur la droite... Ohé ! Ohé !...

– À quelle hauteur sommes-nous ? demande Martine.

– Environ trois cents mètres… Naviguer dans le ciel n’est pas une promenade toute simple, croyez-moi.

– Qu’est-ce que cela veut dire, naviguer dans le ciel ?

– Vraiment, tu ne le sais pas ?

– Si, si… naviguer, c’est voyager sur un navire.

– Eh bien ! ma fille, on dit aussi naviguer dans les airs.

– Où allons-nous ? On ne sent même pas le vent. C’est curieux, non ?

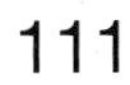

– Si tu ne sens pas le vent, c'est parce qu'il nous entraîne avec lui. On ne s'aperçoit pas de la vitesse à cause de l'altitude.
– Je veux descendre, dit Patapouf. Où est la maison ?
Oncle Gilbert se met à rire :
– On peut aller loin, sans qu'il y paraisse, quand on se laisse emporter par le vent.
– Voilà que le temps se gâte !
– Rassurez-vous. Ce n'est qu'un nuage qui passe.
– Des aigles !... Des aigles ! crie Patapouf.

– Mais non, gros nigaud ! Ces oiseaux sont des mouettes, réplique Martine. Si elles s'approchent trop elles vont sûrement se brûler les ailes.

– Allez-vous-en !… Allez-vous-en !

Oncle Gilbert arrête le brûleur.

Les oiseaux se dispersent.

– Où sommes-nous à présent ? Consultons la boussole et la carte.

– Écoutez ! Voici l'hélicoptère. Il nous a repérés. Le pilote nous fait signe de descendre, dit Martine… Que se passe-t-il ?

Elle se penche pour observer le paysage. Et devinez ce qu'elle aperçoit ? Des bateaux dans un port, des grues, un phare tout blanc… la mer au loin.
– La mer ? On va se noyer !
– Patapouf, ne dis donc pas de bêtises ! intervient l'oncle Gilbert. Nous allons atterrir dans les dunes… ou sur la plage. Tout se passera très bien.
Martine s'inquiète. Elle écoute les bruits qui montent de la terre : le va-et-vient de la circulation, les cris des enfants qui jouent au ballon, la sirène d'un bateau.
– Savais-tu, oncle Gilbert, que nous allions atterrir à la côte ?
– Pardi ! Je m'en doutais un peu. Avec ce vent d'est, il fallait s'y attendre… Quand même, nous avons eu de la chance. Je crois que nous avons gagné la course.
– Où sont passés les concurrents ?
– Peut-être ont-ils consommé trop de gaz et ils sont tombés en panne ? Ils ont perdu de la hauteur. Ou bien ils n'ont pas su profiter des courants et, faute de vent, ils ont dû se poser dans la campagne ?
Nous serons fixés bientôt.
L'essentiel, à présent, c'est de réussir notre atterrissage.
Reste à choisir au plus tôt l'endroit propice…

Ce serait bien si on pouvait se poser sur le sable.
Éviter les arbres et le terrain de camping.
– La montgolfière !… la montgolfière ! crient les enfants dans les dunes.
– Elle descend. Regardez : ils vont atterrir par ici, c'est certain.
– Et s'ils tombent dans la mer, est-ce que… ?
– Mais non, ils vont s'en tirer.
– Hep là-bas ! Attention à mon cerf-volant !
Patapouf n'est pas à son aise. Pas du tout. Il retient sa respiration.

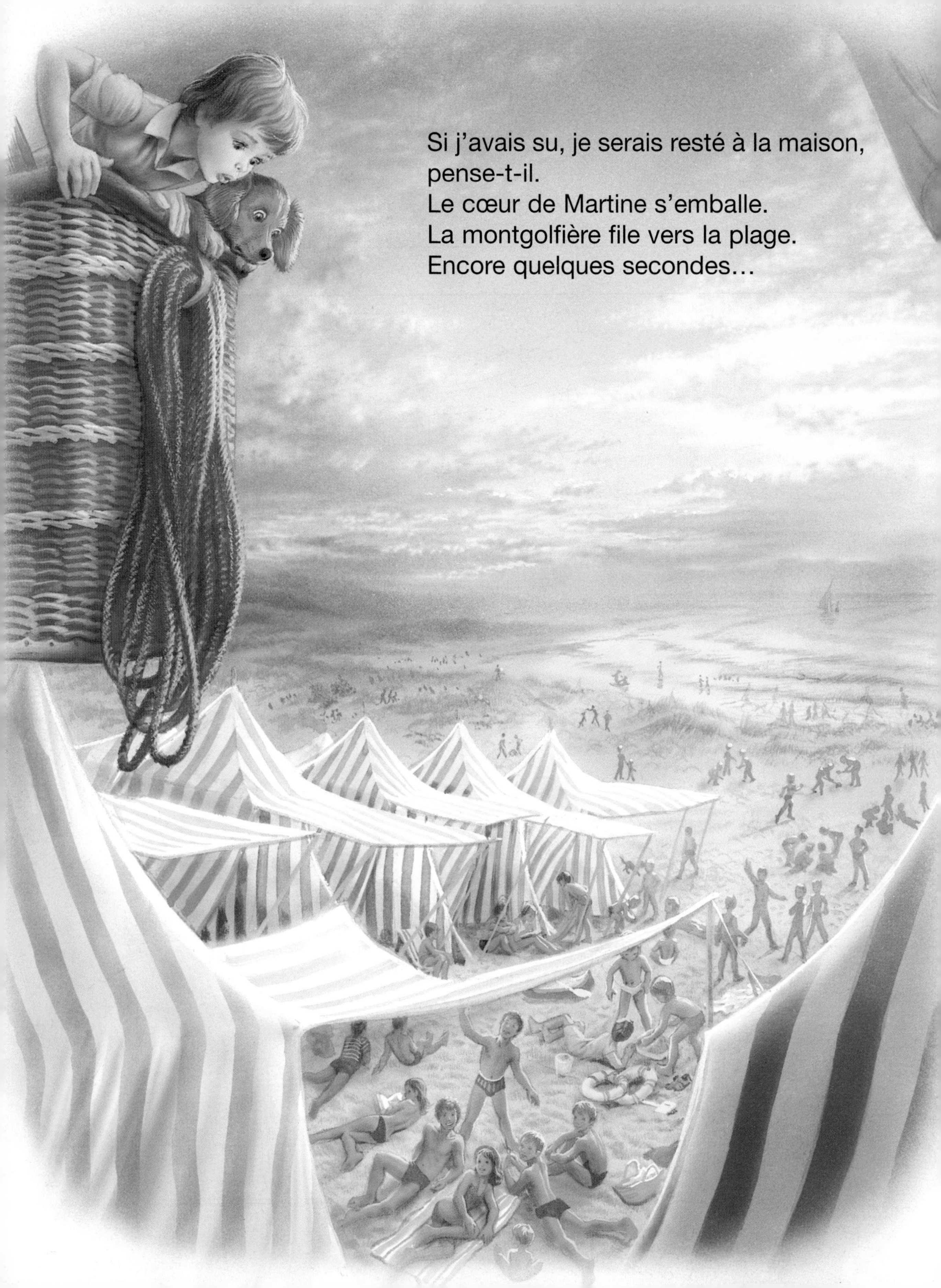

Si j'avais su, je serais resté à la maison, pense-t-il.
Le cœur de Martine s'emballe.
La montgolfière file vers la plage.
Encore quelques secondes…

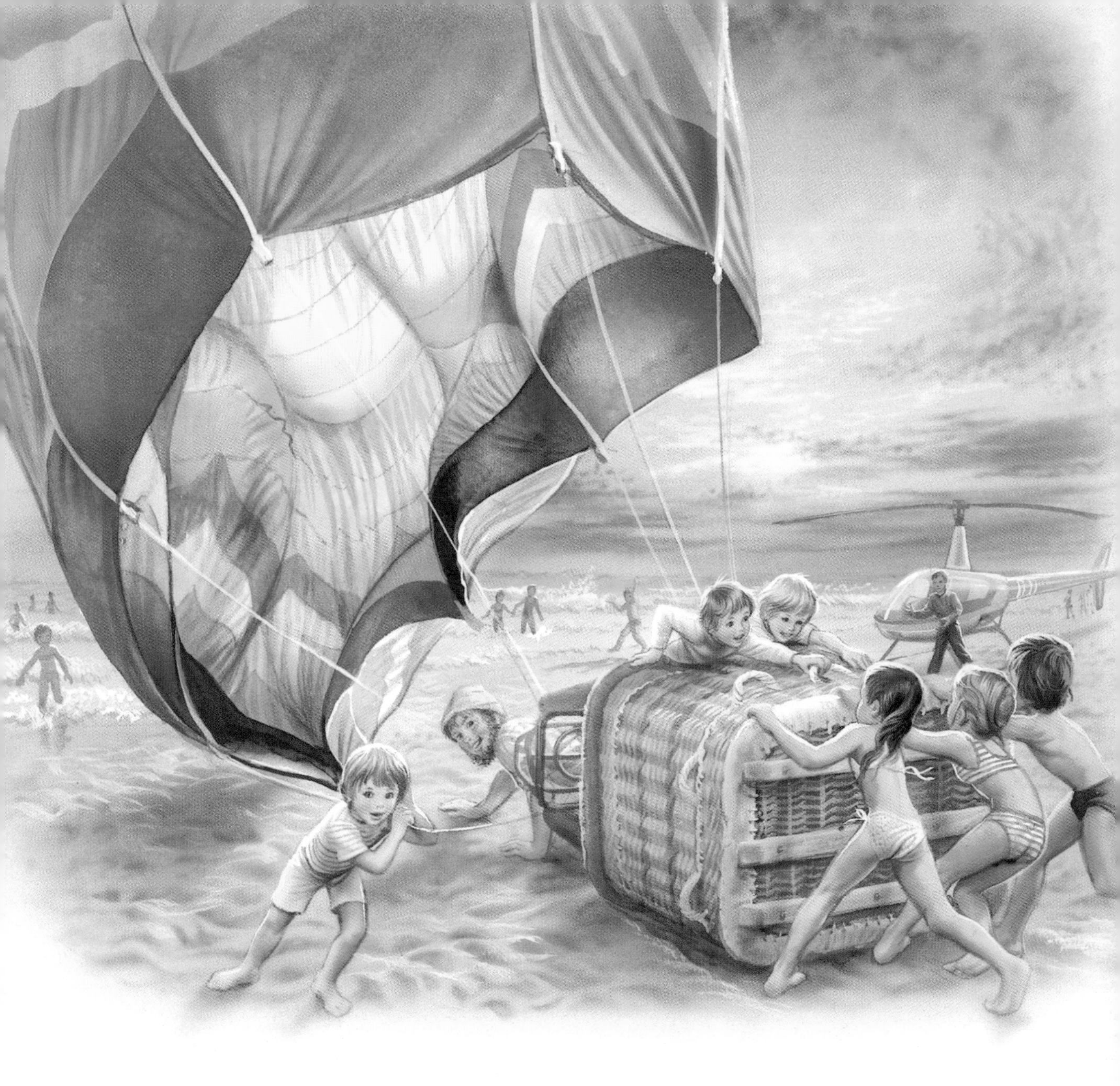

Le vent pousse l'aérostat vers la mer. La nacelle traîne sur le sable… C'est la culbute…
On se relève. Il s'agit de maintenir la montgolfière en place pour que le matériel ne soit pas abîmé. Les curieux accourent :
– Rien de cassé ?
– Non, merci, tout va bien.
L'hélicoptère atterrit tout près de là.

Le commissaire de la course saute à bas de l'appareil :
– Bravo, Monsieur ! Bravo, les enfants ! Vous avez gagné le rallye. Les autres concurrents ont dû se poser dans les champs. C'est vous qui avez parcouru la plus longue distance… Heureux que vous ayez pu atterrir sans pépins !
Il aide l'oncle Gilbert à vider complètement l'enveloppe. S'il reste de l'air chaud à l'intérieur, le vent risque de soulever la montgolfière et de provoquer un accident.
Mais tout se passe bien. Le soir tombe et le ciel est serein. La mer apaisée roule ses vagues sur la plage. On croirait que la nuit ne va jamais venir. Autour de la montgolfière, les curieux s'attardent…

– Je te l'avais dit qu'ils allaient se poser par ici ! Fait un garçon plein d'enthousiasme. J'avais raison.
– Le pilote est un as. Hip, hip, hip, hourra !
Martine et Jean sont fiers de l'oncle Gilbert.
– Comment ce rallye s'est-il passé ? demande un journaliste.
– Ce fut un voyage extraordinaire !
– Vous savez, dit Patapouf, on n'a pas tellement eu peur.
– Il était temps de vous poser. Le vent vous aurait poussés vers le large.
Un garçon s'approche, un ballon sous le bras :
– Est-ce que je peux monter avec vous ?
– On arrive ! C'est trop tard pour aujourd'hui, mon vieux ! Nous rentrons à la maison, répond l'oncle Gilbert… Allons, les gars, aidez-nous à replier la montgolfière.

le chat follet sur la patinoire

LUCIENNE ERVILLE - MARCEL MARLIER

L'hiver est là. Puick, le petit chien aux longues oreilles, annonce une grande nouvelle à son ami le chat Follet :
—Joseph le jardinier dit qu'il va geler. Dans trois jours, l'eau de l'étang deviendra si dure qu'on pourra marcher dessus !
Joseph met ses nombreux pots de fleurs à l'abri dans sa cabane. Il y transporte aussi la niche de Puick et le panier de Follet.
—Ici, tu seras mieux qu'au jardin, dit-il à Puick, et tu auras un compagnon.
Puick et Follet gambadent de joie à l'idée de vivre ensemble, sans jamais se quitter.

Il gèle, comme Joseph l'a prévu. Les deux premiers jours, Puick et Follet, dans la cabane, inventent des jeux nouveaux, vont et viennent, mangent de bon appétit…

La nuit, ils rêvent qu'ils volent au-dessus de l'eau. « Marcher,

ça doit être rudement plus difficile », songe Follet à son réveil.
Le troisième jour, Puick en a assez de rester à l'intérieur.
Il ne tient plus en place : « Il faut que j'aille voir l'étang. »
Follet fait la sourde oreille.
Alors Puick se hasarde dans la cour…
mais revient précipitamment en
grognant, indigné :
—Le gel, ça pique et ça mord,
et pourtant on ne le voit pas !

À la fenêtre de la cabane, Follet guette le moindre signe de vie au-dehors. Rien ne bouge.

—Regarde les arbres, Puick. Les pauvres, ils sont tout nus, tout raides et blancs de givre. Si nous sortons, nous deviendrons aussi raides que les arbres…

Et les deux amis restent là, inquiets, quand soudain un grincement leur fait dresser les oreilles. C'est la brouette du jardinier. Joseph pousse la porte et s'écrie gaiement :

—Follet, Puick, ça y est, l'étang est gelé ! En route !

Toutes les peurs se sont envolées : avec Joseph, rien de mal ne peut arriver.

Follet et Puick se sentent soulever doucement par la peau du cou, et ils atterrissent dans la brouette au milieu des feuilles sèches : un nid de feuilles, rien de tel pour tenir chaud… et amortir les secousses !
—En voilà deux qui ont de la chance, nasillent les canards.

Tirée par Joseph, la brouette traverse le jardin cahin-caha, en direction de l'étang.

Pas la plus petite fleur dans les parterres, plus la moindre feuille sur l'arbre Pommier qui portait de si belles pommes rouges en automne…

Tout à coup, un rayon de soleil perce les nuages et le jardin est transformé. Le givre des arbres étincelle, les brins d'herbe de la pelouse ressemblent à des vers luisants.

La brouette s'arrête au bord de l'étang.

—Terminus, tout le monde descend ! crie Joseph qui s'amuse autant que ses petits amis.

Puick et Follet regardent, stupéfaits, la couleur blanchâtre de l'étang. « On a sûrement versé du lait dedans… », se dit Follet, et il se promet d'y goûter.

Deux merles et une famille de moineaux sautillent sur la surface

gelée. De toutes ses forces Joseph lance une pierre vers le milieu de l'étang. Elle dessine une grande courbe dans l'air. Merles et moineaux s'envolent. La pierre retombe sur la glace, rebondit deux ou trois fois, puis s'immobilise :

—Parfait ! La couche est solide. Allez-y !

Follet prend son élan, mais à peine sur la glace il dérape et se retrouve sur le dos. Brr ! Que c'est froid, la glace !
À petits pas prudents, Puick réussit à rejoindre Follet. Il le remet sur pied, le console de son mieux. Le chaton, un peu étourdi, se donne un coup de langue par-ci, un coup de langue par-là, et tout finit par s'arranger.

Follet et Puick, à deux, en se soutenant l'un l'autre, glissent sur la surface polie.

—C'est chouette, les glissades ! Pas vrai, Puick ?

—Formidable, répond Puick avec un jappement joyeux.

Attirés par le bruit, les chiens du voisinage – le vieux Médor, Zouzou le teckel et Plume la levrette – viennent jeter un coup d'œil par-dessus le mur.
—Voyez, Puick et Follet qui marchent sur l'étang !
La chatte de mademoiselle Sidonie pousse au premier rang ses trois chatons blancs.

—Si nous y allions, nous aussi ? propose-t-elle.

—Oui, oui, allons-y ! miaulent les trois chatons.

Et les sept compagnons sautent du mur, à la queue leu leu.

Follet et Puick se sentent très à l'aise à présent. Ils sont heureux de cette visite. Aussitôt les jeux s'organisent ; on se bouscule un peu, on tombe pêle-mêle, on s'amuse comme des fous !

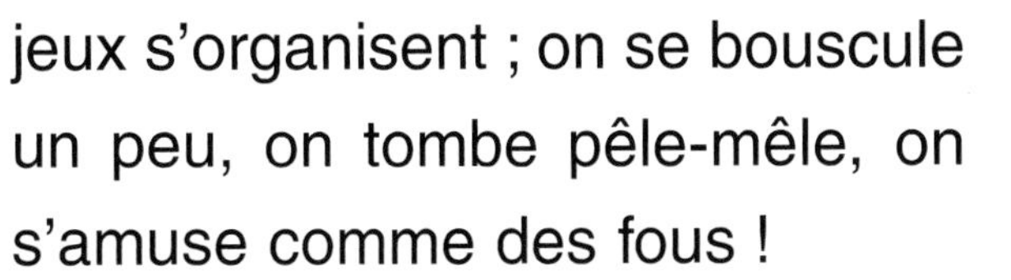

—Si nous valsions sur la glace, propose Plume la levrette. Cela se fait beaucoup… Mais il faudrait de la musique.

—La musique ? C'est notre affaire, chantent en chœur les moineaux alignés sur une branche du vieux hêtre.

Et, tout joyeux, ils se mettent à pépier un air de valse…

Après la valse, la course ! Médor est l'arbitre.
—Vous, les plus petits, mettez-vous ici, à dix pas du bord. Je vous donne un peu d'avance. Une, deux, trois, partez !
C'est Follet qui arrive le premier de l'autre côté de l'étang. Il a gagné ! On l'entoure, on le félicite ; tout le monde crie très fort. Quel vacarme !

Le soleil s'est retiré derrière un gros nuage, et soudain, il fait plus froid. Joseph a terminé la toilette du jardin. Avec les feuilles et les branches mortes, il a fait dans l'allée un tas

aussi haut que lui. Le temps de craquer une allumette… et les flammes jaillissent. Follet, Puick et leurs amis accourent pour admirer le feu. Les flammes dansent, hautes et claires, dans un concert de crépitements. Tout autour, la chaleur est bien agréable !

Le brasier, peu à peu, s'affaisse et s'éteint. Il faut se dire au revoir. Chacun s'en retourne chez soi, content… et affamé, car le sport, ça creuse !

jean-lou et sophie

à la course des tacots

GILBERT DELAHAYE - MARCEL MARLIER

Grande agitation en ville : dimanche prochain, le « Tacots-Club » organise un rallye.

Jean-Lou et Sophie ont persuadé grand-père d'y participer.

Tout devra être d'époque : voitures, accessoires et même l'habillement des concurrents ! Pour se mettre dans l'ambiance, grand-père a exhumé son vieil album de photos.

— Oh regarde là ! la voiture de grand-père... La date est indiquée... 1906 ! Et elle roule encore ?

— Bien sûr, il faudra bricoler un peu, mais rassurez-vous : à l'époque on faisait de la bonne mécanique.

— Et le petit garçon en costume marin ?... je parie que c'est toi, grand-père !

Première étape : l'inscription au vieux château du village où le « Tacots-Club » dispose d'un local.

— Superbe véhicule ! s'extasie l'organisateur de la course en examinant la photo. C'est une **benz** type vélo de 1898... un cylindre horizontal... allumage par vibreur... Bel engin !

benz type vélo
1898

Grand-père révise avec soin toute la partie mécanique. Vous pensez, il connaît le moteur comme sa poche. Bielles, pistons et soupapes n'ont plus de secret pour lui.
Pour le concours d'élégance, il faut aussi astiquer les cuivres, cirer les sièges de cuir, nettoyer les roues.
— Qu'en penses-tu, grand-père ? demande Jean-Lou.
Grand-père recule pour juger de l'effet.
— Pas mal, pas mal. Vous êtes des as. Et les costumes ! avez-vous pensé aux costumes ?
— Bien sûr, répond Sophie. Maman y a fait quelques retouches et leur donne un dernier coup de fer.

C’est le grand jour.
— Mes boutons de manchettes ! Où sont mes boutons de manchettes ?
— Comment me trouves-tu ? demande Sophie.
Jean-Lou fait des singeries devant la glace.
— À vos ordres, amiral !
Grand-père, pour être plus élégant, se fait friser la moustache.

jacquot break à vapeur
1878

Réunis sur la place du Marché, les participants bavardent en attendant le signal du départ.
Ces autos, ces costumes semblent sortir d'un rêve ou d'une machine à remonter le temps.
Jean-Lou et Sophie courent d'une voiture à l'autre. Il y a les poussives et les rapides, les simples et les tarabiscotées, les élégantes et les ventripotentes.

menier break à chaînes
1893

panhard et levassor
1893

Un vieux monsieur regarde sa voiture avec tendresse.
— C'est une œuvre d'art, un joyau, dit-il...

serpollet à vapeur
1905

... Et pourtant, si vous l'aviez vue, elle était dans un état pitoyable. Il m'a fallu plus de trois années pour retrouver certaines pièces d'origine, réparer la mécanique, bichonner la carrosserie.

Pour mettre la voiture en marche, il fallait allumer les brûleurs avec du pétrole ; les becs de platine incandescents ont été ensuite remplacés par les bougies.

citroën trèfle
1922
double phaeton 4 places de dion
1901
renault
1911
bébé peugeot
1913
coupé docteur piccolo
1907
sage
1904
maurer
1900
ford
1906

taxi de la marne
1908

delahaye coupé chauffeur
1914

delaunay belleville coupé chauffeur
1913

— Oh ! regarde, grand-père, la toute petite voiture, une **bébé peugeot**. Ce serait chouette pour se rendre à l'école.
Grand-père ne sait plus où donner de la tête. Il s'extasie devant chaque voiture.

— Regardez, dit-il, cette bonne vieille **trèfle citroën**. Mon Dieu, quelle voiture ; elle était increvable !... Diable, est-ce possible ? Une **de dion bouton** 1901. Et dire que ça roule encore !
Soudain la trompe d'appel sonne le rassemblement : c'est le moment du départ.
Grand-père n'a rien entendu. Quand il le veut, il est dur d'oreille. Jean-Lou et Sophie le tirent par la main.
— Vite, grand-père, on va rater le départ !
— Attendez ! Attendez, il n'y a pas le feu ! Regardez là, devant vous : c'est le célèbre « **taxi de la marne** ».

rolls royce phantom II
1930

bugatti hermes-mathis « simplex »
1904

le zèbre torpedo
1913

— Par ici, grand-père, par ici !
À côté de la **benz** de grand-père, une autre **benz** attend le départ. C'est le papa de Caroline qui la conduit. La fillette et son petit frère se prennent au jeu, se donnent des airs, font des manières avec Jean-Lou et Sophie :
— Notre voiture, très chers, est une « vis-à-vis » : elle a deux sièges se faisant face.

benz vis-à-vis type victoria
1893

Quel plaisir de caracoler sur les petits chemins de campagne à la vitesse folle de... dix kilomètres-heure !
Paf, paf, paf, paf ! C'est le bruit que fait la **benz** de grand-père.
Teuf, teuf ! Pan, pan ! la **renault** 1911 pétarade.
Les vieux klaxons enroués beuglent leurs tuut... tuuuuut. Les trompes cornent : coin... coin ! D'autres font pouet... pouet !
Cette joyeuse cacophonie amuse les badauds.

bugatti royale coupé napoléon
1930

Les vieux moteurs s'essoufflent un peu et toussent. Les radiateurs fument.
Une halte est prévue.
Tous s'arrêtent au bord de l'eau pour déjeuner. Aussitôt, des admirateurs se pressent, se bousculent autour des automobiles.
La **bugatti** a été garée un peu à l'écart, loin des curieux. Son chauffeur la surveille jalousement ; c'est une pièce unique au monde et, pour la circonstance, il l'a astiquée comme un sou neuf.

Après le déjeuner sur l'herbe, on remonte le phonographe et tout le monde danse.
— M'accorderez-vous cette valse, mademoiselle ?
Mais Caroline préfère la mazurka ou le fox-trot.

Celle belle journée passe trop vite. Voici déjà l'heure de reprendre la route.
— Mais où donc est passé grand-père ?
— Il est là-bas, assis devant la **bugatti**.
Il écoute avec ravissement le ronflement du moteur.
— Quelle musique ! Quelle harmonie !

— Voyons, grand-père, ce n'est pas le moment de rêver. Les autres concurrents regagnent déjà leur voiture. Il n'y a plus une minute à perdre. Ils vont partir sans nous.
Allons, en voiture. Paf, paf, paf, paf !

Les deux **benz** roulent côte à côte.
— Si on faisait une course, propose Caroline. Je vous parie, très chers, que notre voiture est bien plus rapide que la vôtre.
— Pari tenu, réplique Jean-Lou.
— Plus vite, papa, plus vite ! crie Caroline.
— Allez, grand-père, accélère ! insiste Sophie.
Grand-père se pique au jeu et pousse sa machine.
Les deux voitures se talonnent. Peu à peu l'écart se creuse.

— Bravo ! on est les plus forts ! crie Jean-Lou.
— Allez, encore plus vite !

— Tout doux... toux doux, dit grand-père en ralentissant. Il faut ménager cette vieille mécanique.
— Oh ! regarde, voilà qu'ils nous dépassent ! dit Sophie navrée.
— Qui veut voyager loin ménage sa monture, répond grand-père.
Sophie se désole :
— Ils nous distancent de plus en plus !
— Ils sont déjà loin... loin...
— On ne les distingue presque plus.

Clang ! Clang ! Clang !
Que se passe-t-il ?
— Il me semble que notre voiture ralentit... s'inquiète Caroline.

— Je crains fort que ce soit une panne.
... Aïe ! C'est bien ça, la chaîne de transmission s'est rompue.
— Quelle guigne ! Une panne en plein bled !
— Et en plus, il commence à pleuvoir.
— Alors ça, c'est le bouquet !...

— Cette vieille guimbarde aurait pu choisir un autre moment pour nous laisser tomber.
Furieuse, Caroline lance un grand coup de pied en direction de la voiture. Sa fine bottine à boutons se coince dans les rayons. Patatras ! voilà notre Caroline les quatre fers en l'air.

Paf, paf, paf, c'est la voiture de Jean-Lou et Sophie qui passe.
— Arrêtons-nous, crie Sophie.
Il est arrivé quelque chose, Caroline est assise par terre.
Quelle drôle d'idée !
Grand-père s'arrête, se retourne. Il a tout de suite compris.
— Je ne peux pas vous remorquer, ma voiture est trop légère.
Heureusement, il y a une ferme tout près d'ici...

Grand-père regarde sa montre. Oh ! mais il se fait tard ! Il est urgent de reprendre la route pour rejoindre les autres participants au rallye.
Voici les faubourgs, les premières maisons de la ville, la longue rue de l'Esplanade, le square, la rue du Bac et enfin la place du Marché.
Déjà le speaker annonce : « Troisième prix d'élégance attribué à Jean-Lou, Sophie et grand-père. »
La foule applaudit, on monte sur le podium, on s'embrasse, on se congratule, on rit.
Et pourtant Jean-Lou et Sophie sont inquiets : ils pensent à leurs amis laissés là-bas dans cette cour de ferme.

— Tiens, que se passe-t-il ?
Toutes les têtes se tournent. Un curieux équipage vient de faire son entrée : une voiture tirée par un gros cheval de trait !
Dans la voiture, une fillette à la mine déconfite ; à ses côtés, son petit frère essaie de se cacher derrière son chapeau de paille.
Là-haut, sur le podium, les officiels paraissent embarrassés.

Le speaker annonce enfin : « Un grand prix d'originalité vient d'être décerné au couple le plus drôle. » Ces mots déclenchent l'hilarité générale et un tonnerre d'applaudissements.